携手构建合作共赢、公平合理的气候变化治理机制

——在气候变化巴黎大会开幕式上的讲话

（2015 年 11 月 30 日）

习 近 平

人 民 出 版 社

携手构建合作共赢、公平合理的气候变化治理机制

——在气候变化巴黎大会开幕式上的讲话

(2015年11月30日)

习　近　平

尊敬的奥朗德总统，

尊敬的各位同事，

女士们，先生们，朋友们：

今天，我们齐聚巴黎，出席联合国气候变化巴黎大会开幕式。这表明，恐怖主义阻挡不了全人类应对气候变化、追求美好未来的进程。借此机会，我愿向法国人民致以诚挚的慰问，同

时对奥朗德总统和法国政府为这次大会召开所作的精心筹备表示感谢。

《联合国气候变化框架公约》生效20多年来，在各方共同努力下，全球应对气候变化工作取得积极进展，但仍面临许多困难和挑战。巴黎大会正是为了加强公约实施，达成一个全面、均衡、有力度、有约束力的气候变化协议，提出公平、合理、有效的全球应对气候变化解决方案，探索人类可持续的发展路径和治理模式。法国作家雨果说："最大的决心会产生最高的智慧。"我相信，只要各方展现诚意、坚定信心、齐心协力，巴黎大会一定能够取得令人满意的成果，不辜负国际社会的热切期盼。

尊敬的各位同事，女士们、先生们！

一份成功的国际协议既要解决当下矛盾，更要引领未来。巴黎协议应该着眼于强化2020年后全球应对气候变化行动，也要为推动全球更好实现可持续发展注入动力。

——巴黎协议应该有利于实现公约目标，引领绿色发展。协议应该遵循公约原则和规定，推进公约全面有效实施。既要有效控制大气温室气体浓度上升，又要建立利益导向和激励机制，推动各国走向绿色循环低碳发展，实现经济发展和应对气候变化双赢。

——巴黎协议应该有利于凝聚全球力量，鼓励广泛参与。协议应该在制度安排上促使各国同舟共济、共同努力。除各国政府，还应该调动企业、非政府组织等全社会资源参与国际合作进程，提高公众意识，形成合力。

——巴黎协议应该有利于加大投入，强化行动保障。获取资金技术支持、提高应对能力是发展中国家实施应对气候变化行动的前提。发达国家应该落实到2020年每年动员1000亿美元的承诺，2020年后向发展中国家提供更加强有力的资金支持。此外，还应该向发展中国家转让气候友好型技术，帮助其发展绿色经济。

——巴黎协议应该有利于照顾各国国情，讲求务实有效。应该尊重各国特别是发展中国家在国内政策、能力建设、经济结构方面的差异，不搞一刀切。应对气候变化不应该妨碍发展中国家消除贫困、提高人民生活水平的合理需求。要照顾发展中国家的特殊困难。

尊敬的各位同事，女士们、先生们！

巴黎协议不是终点，而是新的起点。作为全球治理的一个重要领域，应对气候变化的全球努力是一面镜子，给我们思考和探索未来全球治理模式、推动建设人类命运共同体带来宝贵启示。

——我们应该创造一个各尽所能、合作共赢的未来。对气候变化等全球性问题，如果抱着功利主义的思维，希望多占点便宜、少承担点责任，最终将是损人不利己。巴黎大会应该摈弃“零和博弈”狭隘思维，推动各国尤其是发达国家多一点共享、多一点担当，实现互惠共赢。

——我们应该创造一个奉行法治、公平正义的未来。要提高国际法在全球治理中的地位和作用,确保国际规则有效遵守和实施,坚持民主、平等、正义,建设国际法治。发达国家和发展中国家的历史责任、发展阶段、应对能力都不同,共同但有区别的责任原则不仅没有过时,而且应该得到遵守。

——我们应该创造一个包容互鉴、共同发展的未来。面对全球性挑战,各国应该加强对话,交流学习最佳实践,取长补短,在相互借鉴中实现共同发展,惠及全体人民。同时,要倡导和而不同,允许各国寻找最适合本国国情的应对之策。

尊敬的各位同事,女士们、先生们!

中国一直是全球应对气候变化事业的积极参与者,有诚意、有决心为巴黎大会成功作出自己的贡献。

过去几十年来,中国经济快速发展,人民生

活发生了深刻变化，但也承担了资源环境方面的代价。鉴往知来，中国正在大力推进生态文明建设，推动绿色循环低碳发展。中国把应对气候变化融入国家经济社会发展中长期规划，坚持减缓和适应气候变化并重，通过法律、行政、技术、市场等多种手段，全力推进各项工作。中国可再生能源装机容量占全球总量的24%，新增装机占全球增量的42%。中国是世界节能和利用新能源、可再生能源第一大国。

"万物各得其和以生，各得其养以成。"中华文明历来强调天人合一、尊重自然。面向未来，中国将把生态文明建设作为"十三五"规划重要内容，落实创新、协调、绿色、开放、共享的发展理念，通过科技创新和体制机制创新，实施优化产业结构、构建低碳能源体系、发展绿色建筑和低碳交通、建立全国碳排放交易市场等一系列政策措施，形成人和自然和谐发展现代化建设新格局。中国在"国家自主贡献"中提出将于2030年左右使二氧化碳排放达到峰值并争取尽早实现,2030年单位国内生产总值二氧化碳排放比2005年下降60%—65%,非化石能源占一次能源消费比重达到20%左右,森林蓄积量比2005年增加45亿立方米左右。虽然需要付出艰苦的努力,但我们有信心和决心实现我们的承诺。

中国坚持正确义利观,积极参与气候变化国际合作。多年来,中国政府认真落实气候变化领域南南合作政策承诺,支持发展中国家特别是最不发达国家、内陆发展中国家、小岛屿发展中国家应对气候变化挑战。为加大支持力度,中国在今年9月宣布设立200亿元人民币的中国气候变化南南合作基金。中国将于明年启动在发展中国家开展10个低碳示范区、100个减缓和适应气候变化项目及1000个应对气候变化培训名额的合作项目,继续推进清洁能源、防灾减灾、生态保护、气候适应型农业、低碳智慧型城市建设等领域的国际合作,并帮助他们提高融资能力。

尊敬的各位同事,女士们、先生们!

应对气候变化是人类共同的事业,世界的目光正聚焦于巴黎。让我们携手努力,为推动建立公平有效的全球应对气候变化机制、实现更高水平全球可持续发展、构建合作共赢的国际关系作出贡献!

谢谢大家。

图书在版编目（CIP）数据

携手构建合作共赢、公平合理的气候变化治理机制/
习近平 著. —北京：人民出版社，2015.12
ISBN 978-7-01-015616-3

Ⅰ.①携… Ⅱ.①习… Ⅲ.①习近平-讲话②气候变化-对策-研究-世界 Ⅳ.①D2-0②P467

中国版本图书馆 CIP 数据核字（2015）第 289353 号

（RMC-ZJDXI-031-20151130）

携手构建合作共赢、公平合理的气候变化治理机制

XIESHOU GOUJIAN HEZUO GONGYING
GONGPING HELI DE QIHOU BIANHUA ZHILI JIZHI

——在气候变化巴黎大会开幕式上的讲话

（2015 年 11 月 30 日）

习 近 平

人民出版社 出版发行
（100706 北京市东城区隆福寺街 99 号）

北京新华印刷有限公司印刷 新华书店经销

2015 年 12 月第 1 版 2015 年 12 月北京第 1 次印刷
开本：880 毫米×1230 毫米 1/32 印张：0.5
字数：4 千字

ISBN 978-7-01-015616-3 定价：2.00 元

邮购地址 100706 北京市东城区隆福寺街 99 号
人民东方图书销售中心 电话（010）65250042 65289539